这本书属于

· · · · · · · · · · · · · · · · · · · ·

著作权登记号：皖登字12121069号

First published by Ladybird Books Ltd 2011
A Penguin Company

图书在版编目（CIP）数据

晚安，佩奇（生活习惯）/ 英国快乐瓢虫出版公司改编；圣孙鹏译.
—合肥：安徽少年儿童出版社，2017.1（2017.6重印）
（小猪佩奇主题绘本）
ISBN 978-7-5397-9469-3

Ⅰ. ①晚… Ⅱ. ①英… ②圣… Ⅲ. ①儿童故事－图画故事－
英国－现代 Ⅳ. ①I561.85

中国版本图书馆CIP数据核字（2016）第302726号

XIAOZHU PEIQI ZHUTI HUIBEN WAN' AN PEIQI SHENGHUO XIGUAN
小猪佩奇主题绘本·晚安，佩奇（生活习惯）
英国快乐瓢虫出版公司 改编
圣孙鹏 译

出 版 人：张克文　　选题策划：李　琳　　责任编辑：李　琳　丁　倩
特约编辑：苗　辉　　责任校对：张姗姗　　版权运作：芮　嘉　柳婷婷
责任印制：田　航
出版发行：时代出版传媒股份有限公司 http：//www.press-mart.com
安徽少年儿童出版社 E-mail：ahse1984@163.com
新浪官方微博：http://weibo.com/ahsecbs
腾讯官方微博：http://t.qq.com/anhuishaonianer（QQ：2202426653）
（安徽省合肥市翡翠路1118号出版传媒广场　　邮政编码：230071）
市场营销部电话：（0551）63533532（办公室）　63533524（传真）
（如发现印装质量问题，影响阅读，请与本社市场营销部联系调换）
印　　制：合肥精艺印刷有限公司
开　　本：787mm×1092mm　1/12　　印张：15（全5册）
版　　次：2017年1月第1版　　2017年6月第6次印刷

ISBN 978-7-5397-9469-3　　定价：90.00元（全5册）

晚安，佩奇

英国快乐瓢虫出版公司 改编
圣孙鹏 译

ARTTIME 时代出版
时代出版传媒股份有限公司
安徽少年儿童出版社

这天晚上，猪爷爷和猪奶奶来佩奇家做客吃晚饭。

快到佩奇和乔治上床睡觉的时间了。

“啊……哈！”猪爸爸打了个大大的哈欠。

“哈！哈！哈！”大家都笑了。

“呵呵，不好意思。”猪爸爸嘟哝着说，“我有点困了！”

佩奇和乔治可一点也不困。

“我们能去跳泥坑吗？”佩奇问，“就一小会儿。好不好？”

“好吧，”猪爸爸说，“就只玩一小会儿。然后赶紧回来洗澡啊。”

佩奇和乔治喜欢跳泥坑。他们在泥坑里跳得浑身都是泥巴。

“佩奇！乔治！”猪爸爸叫他们，“跳泥坑累了吧，困不困？快回来洗澡吧。”

“爸爸，可是我们一点也不困。”佩奇回答。

佩奇和乔治在浴缸里玩水，
他俩都洗得干干净净的。

哗啦！

哗啦！

哗啦！

“洗完澡了吧？”溅了一身水的猪爸爸说，“玩水玩累了吧，困不困？”

“我们一点也不困！”佩奇一边叫，一边往猪爸爸身上泼水玩。

乔治在一旁咯咯地笑。

这下猪爸爸湿透了。

佩奇和乔治跳出浴缸。

他们不紧不慢地擦干身体，穿上睡衣。

他们又用了超级长的时间来刷牙。

“唰唰唰！”

“快洗脸吧，一会儿奶奶陪你们上床睡觉。”猪妈妈说。

“耶！”佩奇欢呼。

“那那（奶奶）！”乔治叫道。

佩奇和乔治终于准备好上床了。

他们和猪妈妈、猪爸爸说了晚安。

猪奶奶在儿童房等着他们呢。

“来吧，小家伙们！”猪奶奶说，“睡觉时间到了，上床吧。”

“我必须和我的泰迪熊一起睡。”佩奇说。

“恐农（龙）！”乔治也跟着哼唧。

猪奶奶找来了泰迪熊和恐龙先生，给他们盖好被子。

“晚安，佩奇和泰迪熊。”猪奶奶说，“晚安，乔治和恐龙先生。”

“但是我们一点也不困呢，奶奶。”佩奇说。

“我看出来了，”猪奶奶说，“怎样才能让你们困呢？”

佩奇问：“您能给我们讲个睡前故事吗？”

“可以啊，佩奇。”猪奶奶回答，“但你们要保证，故事一讲完，你们就要乖乖睡觉哟！”

“我们保证！”佩奇叫道。

佩奇和乔治喜欢睡前故事。

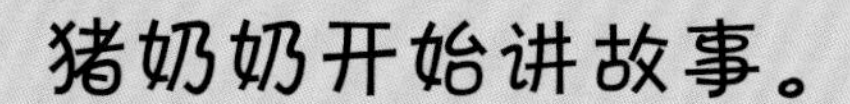

猪奶奶开始讲故事。

“很久以前，有一位……”

“有一位美丽的公主，名叫佩奇。”佩奇忙着插话。

“是的，”猪奶奶说，“还有……”

“还有一位勇敢的乔治骑士！”佩奇又插话。

“嘿嘿！”乔治笑了。

猪奶奶接着讲：“佩奇和乔治住在一座城堡里……”

“一座高耸入云的大城堡。”佩奇说。

猪奶奶想着如何结束这个故事：“佩奇公主和乔治骑士在城堡里玩了一整天，现在他们都困了。”

“这时，国王回来了！”佩奇兴奋地说，“还来了一位御用厨师、一位魔法师和一只可怕的恐龙。”

“恐农（龙），”乔治也插了进来，“嗷！”

“御用厨师给大家准备了一顿丰盛的野餐，有三明治、蛋糕、果冻……”佩奇一样一样地说着她喜欢的食物。

猪爷爷来找猪奶奶。

“我正在给佩奇和乔治讲睡前故事呢。”猪奶奶说。

“我们保证在故事结束后会乖乖睡觉。”佩奇说。

“我知道了。”猪爷爷说，“猪奶奶，让我来接着讲故事吧。我很擅长讲故事的结尾哟。”

于是，猪奶奶跟孩子们说晚安，下楼去了。

猪爷爷想尽办法让故事结尾。

“吃完这顿丰盛的野餐之后……大家都睡着了！故事讲完了。”

但是，佩奇不想让故事就此结束。

“然后，大家又都醒了，他们的朋友们都来了！”佩奇叫道，“他们一起坐着佩奇公主的四轮马车出去兜风，还要举行一个大派对！”

这时，猪爸爸来了。

“我可是讲睡前故事的专家哟。”猪爸爸说。

然后，他小声地对猪爷爷说：“我立刻就能让他俩乖乖睡着。”

于是，猪爷爷跟孩子们说晚安，下楼去了。

“佩奇公主和乔治骑士正打算举行一个大派对呢！”佩奇告诉猪爸爸。

“我知道。”猪爸爸回答道。

嘣嚓嚓！嘣嚓嚓！

猪妈妈听到响声，也走上楼来。

佩奇、乔治和猪爸爸正在跳舞呢！

“我们正在跳舞呢，和睡前故事里讲的一样！”佩奇说。

“他俩马上就要睡着啦！”猪爸爸说。

“谢谢你，猪爸爸。”猪妈妈说，“不过还是让我来吧。”

于是，猪爸爸跟孩子们说晚安，下楼去了。

猪妈妈让佩奇和乔治回到床上，盖好被子。

然后，她请佩奇用小小的声音，从头开始讲一遍刚才的故事。

啊……哈！

啊……哈！

“很久以前，”佩奇一边打着哈欠，一边小声地讲，“有一位美丽的公主，名叫佩奇。”

“她和勇敢的乔治骑士住在一座大城堡里……啊……哈……白云顶上……”

轻柔的声音让佩奇困得不行了。

佩奇很想把故事讲完，但她实在困得睁不开眼睛了。
很快，乔治睡着了。接着，佩奇也睡着了。

猪妈妈看着两个小家伙，微笑着小声说：“晚安，乔治。晚安，佩奇。”

然后，她就下楼去找猪奶奶、猪爷爷和猪爸爸……

他们三个也都睡着了！佩奇和乔治该睡觉了，每个人都该睡觉了！

“晚安！”猪妈妈说。

感谢你，陪伴我成长

微信公众号“猴叔讲绘本”主持人 猴叔圣孙鹏

某天在我家小区里，我见到一个三四岁的小女孩，拉着爸爸的手，蹦蹦跳跳地唱着自编的歌谣：“小猪呀佩奇，小羊呀苏茜，小斑马呀佐伊，小象呀艾米丽……”“小猪佩奇”里一个个角色的名字甜美又愉快地从小姑娘嘴里蹦出来，仿佛这些人物就是她幼儿园里最好的伙伴。

最近两三年，我见到或听到类似的情景不胜枚举：有网友发孩子创作的佩奇和乔治的画给我；有读者给我讲孩子从读“小猪佩奇”开始，一下子爱上了图画书的经历；也有家长和我分享巧用佩奇做榜样，帮助孩子养成好习惯的高招儿……作为“小猪佩奇”系列图书的译者，每当看到或听到这种例子的时候，我心里都会油然升起幸福的感觉。

其实何止是我们中国的小读者，自从 2004 年动画片 *PEPPA PIG* 在英国播出以来，不仅屡次获得英国教育界和动画片领域的大奖，而且被翻译成各种语言，在 180 多个国家和地区播放，全世界的孩子都为剧中一家四口粉嘟嘟、胖乎乎的小猪着迷。

“小猪佩奇”为何能让这么多小读者着迷呢？我觉得主要有三方面原因：

第一，“小猪佩奇” 的故事非常贴近孩子的成长经历。孩子们都喜欢看和他们同年龄段孩子（或拟人化的小动物）的故事，因为看得懂，有同理心，有共鸣。“小猪佩奇”通过日常的生活化的故事和亲切自然的角色定位，带给小读者一种“伙伴”的感觉。因此，他们

会像亲近一个好朋友那样，去喜爱佩奇、乔治、苏茜……

比如换牙是孩子成长过程中非常重要的事件。一开始孩子可能有些惊讶和担心，甚至有些害怕。我至今记得我小时候，抱着个大苹果啃，一口下去，发现上面沾着一颗牙齿，吓得哇的一声哭着去找妈妈了。佩奇刚开始的情况跟我差不多，牙齿掉在了意大利面的盘子里，看表情就知道，佩奇也是吓了一大跳。猪妈妈细心地给她解释了什么是乳牙；告诉她乳牙脱落之后还会有新的牙齿长出来；还告诉她把乳牙放在枕头下面，夜里牙齿仙子就会来把它拿走，作为交换，还会送给她一枚闪亮的硬币。佩奇的心情也由惊讶和担心变成了欣喜和期待。换牙这种经历是每个孩子都会有的，孩子如果在图画书中读到过，当那一天到来的时候，估计就不会像我一样被吓哭了。

第二，“小猪佩奇”的画面符合孩子的审美趣味。“小猪佩奇”的形象和场景，画风简洁可爱，色彩搭配鲜艳明快。儿童对温暖明亮的色彩有天生的喜好和偏爱，他们甚至可以通过对色彩的想象，产生愉快的心理体验。不论是刚刚接触图画书的幼童，还是有一定阅读基础的学龄前儿童，都会乐于接受这样的画面。

第三，故事和角色充满了积极阳光的正能量。“小猪佩奇”讲的是一家四口的快乐生活，每个人物形象都很鲜明可爱，虽然也会有点小缺点，但相亲相爱、快乐和谐的家庭氛围让读者羡慕，也能潜移默化地给小读者树立一个关于家庭和亲人的正面榜样。比如在《佩奇去超市》那本书中，一家人进行了一次愉快的超市购物，结果结账的时候出了点小状况，一个购物清单上没有的大巧克力蛋糕出现在收银台上。最后，猪爸爸红着脸承认是他拿的。猪妈妈虽然不太赞同，但还是选择了在孩子们面前维护猪爸爸的形象，顺着猪爸爸的话说：“我们就假装它原本就在购物清单里吧。”伴侣犯了一点小错，聪明的另一半是应该穷追不舍呢，还是给他个台阶下，皆大欢喜呢？猪妈妈选择了后者。没错，“没有规矩，不成方圆”，但是，要知道在家庭中，爱是高于一切原则的原则。小猪一家和谐快乐的家庭氛围，很大程度要归功于猪妈妈宽容大度、不计较的性格，而家庭和谐是父母

能给孩子的最好成长礼物。

借翻译工作的便利,“小猪佩奇”的每本新书出版前,我都已经和猴儿子共读过好几遍了。对猴儿子来说,“小猪佩奇”真的像个伙伴一样,陪伴了他三年快乐的学前时光。而对于我呢,“小猪佩奇”的故事也总会引发我的思考和领悟,甚至对我的儿童观和育儿观都带来了深刻的影响。

比如,理解并尊重孩子的成长发育规律,学习“不斗争而赢得孩子”的智慧。拿按时睡觉这件事来说,我们都知道按时睡觉对孩子的身体发育很重要,但是有时候孩子就是怎么也不愿意睡觉。《晚安,佩奇》中,佩奇的逻辑思维和语言表达能力变强了,她会和大人争夺睡前故事的话语权,不让故事结束,反而变得越来越热闹。智慧的猪妈妈请佩奇和乔治乖乖躺好,让佩奇用小小的声音、轻柔的语调来讲故事。果然,不知不觉中,佩奇把自己和乔治都讲睡着了。

很多人说养育孩子就是不断和孩子斗智斗勇的过程。可是我要说,用到“斗”这个字,潜意识里面已经把孩子放到了我们的对立面,认为孩子是要制服、战胜的对象。抱着这样的心态,孩子只会越斗越勇,越斗越叛逆。在这个故事里,我们看到智慧的猪妈妈并没有和孩子“斗争”,她的做法既不是强硬地下命令,也不是死板地立规矩,而是顺势引导,既满足了佩奇讲故事的愿望,还成功地把佩奇和乔治都哄睡着了。

另外,我国现在全面放开二孩政策,很多家庭都成了像小猪佩奇一家似的二宝家庭。我们这代人基本上都是独生子女,小时候没有和兄弟姐妹相处的经验,现在养育起两个宝宝,难免有捉襟见肘的时候。在养育二宝的智慧这方面,我们也可以从“小猪佩奇”中得到很多有益的示范和启发。

比如在《佩奇去超市》里,猪爸爸把乔治抱进了购物车。佩奇问她能不能坐购物车,猪爸爸笑着说:“你的个头太大了,佩奇。”然后猪爸爸话锋一转说,“我需要你帮忙买东西。”小宝宝可以坐在购物车里,大宝宝可以帮忙买东西。“小有小的好,大有大的好”,这是佩奇一家对待二宝

一以贯之的理念。

还是在《佩奇去超市》那本书里，购物小达人佩奇很快找到了购物清单上的大部分东西，最后一样东西是水果。佩奇喊着“我去拿”时，妈妈温柔地阻止了她，说：“这次该轮到乔治了。”是呀，虽然有个能干的大姐姐，但也要给小弟弟成长的机会。乔治虽然小，可是很有主意。佩奇推荐的水果他都不想要，他想要的是一个超大的西瓜。爸爸妈妈和姐姐佩奇虽然有点吃惊，不过还是欣然同意了乔治的选择，并且夸他“真棒”。

这样的小细节比比皆是，在《佩奇生日快乐》中，妈妈提出乔治也可以邀请他的朋友来参加生日派对。佩奇有点不情愿，因为“乔治的朋友们都是小不点呀”，妈妈适时地建议佩奇可以当小老师，教乔治的朋友们玩派对上的各种游戏。被赋予了责任感和使命感之后，佩奇立刻改变了态度，欣然同意并且说：“这个我很在行！”

“小猪佩奇”是个巨大的宝库，在其中，孩子能得到他所需要的，父母也能学到很多为人父母的智慧。希望每一个孩子都能在小猪佩奇的陪伴下，快乐地学习，快乐地成长。希望每一个家庭都能像小猪佩奇一家一样和谐、快乐、美满、幸福。